D0290489

©Editions Exley sa 1999 - Bill Stott © 1998 - Helen Exley © 1998
13, rue de Genval - BE-1301 Bierges - Tél. : +32.2 654 05 02 - exley@interweb.be
Imprimé en Chine – Tous droits réservés – DL 7003/1999/12 – ISBN : 2-87388-161-5
11   12   10

Remerciements : les éditeurs remercient les détenteurs de droits suivants :   EDWARD
ENFIELD : *The Oldie, the World according to Enfield Senior,* 1997 Edward Enfield, publié par
Olde Publications Ltd. KEVIN GOLDSTEIN-JACKSON : *Blagues...après blagues...après
blagues,* autorisation de Elliot Right Way Books. CHRISTOPHER MATTHEW : *Comment
survivre au Moyen-Age,* © 1983 publié par Hodder et Stoughton, avec la permission de
Rogers, Coleridge et White. MARY Mc BRIDE : *Grand-mère sait mais personne ne l'écoute !*
édité par Meadowbrook, © 1987.

TOUS FOUS
À PARTIR DE
60 ans

DESSINS D'HUMOUR DE
BILL STOTT

EXLEY
PARIS - LONDRES

"60 ANS! À 9 ANS, JE PENSAIS QUE 12, C'ÉTAIT _VIEUX_!"

<u>QUAND LE "GRAND ÂGE" COMMENCE-T-IL?</u>

La vieillesse, c'est quand on ne sait plus très bien si on n'a pas assez épargné ou si on est là depuis longtemps.

ROBERT ORBEN, dans 2.100 *Rires en toutes occasions*

*

La vieillesse, cette période de la vie où l'on supporte les vices qui restent en niant ceux qu'on n'a plus la vigueur de commettre.

AMBROSE BIERCE

Je ne me considère pas comme vieux. Je ne regarderai cette tragédie en face que quand une jeune femme voudra me céder sa place dans un train.

E. LUCAS

*

La jeunesse, en France, on ne l'admire que chez les vieillards. Il n'y a d'ailleurs que là qu'elle soit admirable.

MAURICE MARTIN DU GARD (1896-1970)

*

ALBUM de Photos

"SUPER ! LES ANNÉES 30 ! Y AVAIT-IL ALORS DES DINOSAURES, MAMY ?"

COMME MATHUSALEM !

Quand j'étais jeune, la Mer Morte était encore en vie.
GEORGE BURNS

*

Vieille ? Disons qu'elle approche la cinquantaine
pour la troisième fois.

Vieux ? Non, c'est seulement sa moumoute qui
a grisonné.
LÉOPOLD FECHTNER

*

Il y avait tellement de bougies sur son gâteau
d'anniversaire que l'air en était pollué.
MACKENZIE, dans *14.000 Trucs et Astuces pour Écrivains et Orateurs*

*

On sait qu'on est vieux quand on peut se rappeler
l'époque où c'étaient les hommes qui faisaient des
fautes et non les ordinateurs.
NICOLE REUBEN

*

"T'EN AS RENCONTRÉ DES ROMAINS, TOI, PAPY?"

Les Signes Qui Ne Trompent Pas…

Il y a trois moyens de savoir si vous y êtes arrivé : les gens de votre âge commencent à avoir l'air plus vieux que vous ; vous êtes persuadé d'être équipé d'un déclencheur automatique de sieste ; vous n'avez plus que de vagues symptômes là où ça vous démangeait auparavant.

DENIS NORDEN

✳

On sait qu'on se fait vieux quand on se demande en laçant ses chaussures ce qu'il y a d'autre à faire pendant qu'on est courbé.

GEORGE BURNS

✳

On sait qu'on devient vieux quand on commande de la compote de prunes et que le serveur vous dit que vous avez fait un excellent choix.

dans *Le Grand Age c'est pas pour les Mauviettes*

✳

… Il y a trois signes de vieillesse.
Le premier est d'avoir tendance à oublier
facilement et …, ma foi, je ne me souviens plus
très bien des deux autres.

EMANUEL CELLER

"NE T'EN FAIS PAS. TU PARAIS À PEINE CINQUANTE ANS. MÊME SI,
À L'ÉPOQUE, TU AVAIS L'AIR TRÈS MÛR POUR TON ÂGE…"

"BIEN SÛR QUE JE SUIS PLUS ÂGÉE QUE MON MARI…"

PRENONS LES CHOSES AVEC COURAGE

Deux anciens copains de classe se retrouvent; cela fait trente ans qu'ils ne se sont plus vus. L'un d'eux demande: "Ta femme est-elle toujours aussi jolie que quand nous étions tous ensemble à l'école?" – Oui... Mais ça lui prend une heure de plus.

dans *Trésor de Blagues Seniors*

*

Quand vous atteignez la soixantaine, votre esthéticienne vous envoie une lettre qui dit: "Chère Cliente, je ne peux plus vous aider. A partir d'aujourd'hui, débrouillez-vous seule. »

MICHÈLE KOLFF

*

Quand une femme vieillit, elle commence à suspecter la nature de monter un coup contre elle au bénéfice des médecins, dentistes et magnats de produits hydratants.

NICOLE REUBEN

*

"ON SAIT QU'ON SE FAIT VIEUX QUAND LES FILMS
QUE L'ON PRÉFÈRE PASSENT À 11 HEURES DU MATIN..."

On Sait Qu'on A Dépassé 60 Ans...

... quand on prédit le temps par ce que l'on ressent dans les articulations.

... quand on reçoit des cartes d'anniversaire qui ne mentionnent pas l'âge qu'on a.

... quand on commence à porter des chapeaux bizarres.

... quand on pense que *Alerte à Malibu* est un documentaire ou qu'on s'inquiète que les maîtres-nageurs ne portent pas de pardessus.

... quand on pense que CD est l'abréviation d'une maladie.

... quand on ne se soucie pas d'acheter un répondeur car on est toujours à la maison.

JOHN NEWBOLD

*

Un Sujet Délicat

Je viens juste d'avoir quarante ans
en prenant mon temps.

HAROLD LLOYD, à 77 ans, à propos de son âge, tiré du *Times*

Je n'ai pas besoin que vous rappeliez mon âge.
Ma vessie s'en charge.

STEPHEN FRY, dans *Poids-Plume*

"OUI, IL EST BON.

MAIS SURTOUT, NE LUI DEMANDE PAS SON ÂGE..."

Un Problème d'Entretien

Vieux ? Écoutez, quand on dépasse soixante ans, on n'a que des problèmes d'entretien.

CALEY O'ROURKE

*

La vieillesse ? C'est une maladie que l'on attrape quand on atteint la soixantaine.

BRENNAN, 13 ans, dans Bon Anniversaire, chère épave

*

La vieillesse, c'est quand la plupart des noms notés dans votre répertoire sont des noms de docteurs.

MACKENZIE, dans 14.000 Trucs et Astuces pour Écrivains et Orateurs

*

On sait qu'on vieillit quand son derrière atteint le canapé avant même qu'on s'asseoit, et quand le caddy du supermarché fait moins de bruit que son dentier.

JOHN NEWBOLD

*

Après un certain âge, si on ne se réveille pas avec des maux dans toutes les articulations, c'est probablement qu'on est mort.

TOMMY MEIN

"POURQUOI NE PRENDRIONS-NOUS PAS UN BAIN ENSEMBLE,
COMME DANS LE BON VIEUX TEMPS? CELA NE ME DÉRANGE
PAS DE T'AIDER À ENTRER ET SORTIR..."

"TU SAIS CE QU'ON DIT : LES CHIENS FINISSENT PAR RESSEMBLER
À LEUR MAÎTRE."

LE BON VIEUX TEMPS

Le signe de la vieillesse, c'est quand on loue
le passé aux dépens du présent.

SYDNEY SMITH

*

Être déçu par le monde moderne, c'est notre
passe-temps préféré. Je dirai même que c'est notre
responsabilité.

MIELA ELIASON

Les temps changent et ce n'est pas facile de s'y habituer. De mon temps, l'air était sain et le sexe était sale.

GEORGE BURNS

Nous avons tendance à oublier pourquoi on appelle cela "le bon vieux temps", le temps était vieux mais pas nous.

ROBERT ORBEN, dans Rires en toutes Occasions

"JE TROUVE QUE LA SOIXANTAINE TE VA BIEN.
TU AS TOUJOURS EU UN VISAGE DE VIEUX…"

"MAMY L'A ENCORE BATTU À SON JEU VIDÉO…"

Chaque fois qu'un bébé naît, deux femmes deviennent grand-mère. Comme toutes les nouvelles grands-mères vous commencerez par vous regarder dans le miroir en pensant : "Je suis trop jeune pour être grand-mère". Mais il faut regarder la réalité en face. On est assez vieille pour être grand-mère si…

… quand on lève le bras pour faire signe, la graisse qu'il y a en-dessous est la première à remuer.

… on se rend compte, en cherchant un nouvel emploi, que les références qui se trouvent sur son dernier curriculum vitae sont toutes décédées.

… le professeur d'aérobic vous regarde en disant : "Repos, tout le monde".

… ce que vous devez dire à votre médecin fait plus d'une feuille.

… vous vous moquez de ce que le dentiste dit de vos dents, du moment que vous pouvez les garder."

MARY MCBRIDE, dans *Grand-mère sait mais personne ne l'écoute*

*

"MALGRÉ TOUT CE QUE J'AI DIT LA NUIT DE NOTRE MARIAGE,
J'AI DES CRAMPES!"

Les hommes jeunes veulent être fidèles et ne le sont pas, les hommes vieux veulent être infidèles mais ne le peuvent pas.

OSCAR WILDE

*

Le sexe après quatre-vingt-dix ans, c'est comme si vous essayiez de jouer au billard avec une corde. Rien que placer mon cigare dans le cendrier me donne le frisson.

GEORGE BURNS

*

À la question de savoir pourquoi il s'était abonné au magazine Playboy, Joseph, le mari de Lola, répondit : "Je lis Playboy pour la même raison que je lis Géo : pour voir toutes les curiosités que je suis bien trop vieux pour visiter."

dans *Trésor de Blagues Seniors*

Le sexe après 60 ans : quand rallumer le feu signifie payer la facture de gaz en retard.

JON NEWBOLD

À mon âge, lorsque le désir m'envahit enfin, je suis trop fatigué pour y céder.

AUTEUR INCONNU

L'oiseau mort ne quitte pas le nid.

WINSTON CHURCHILL,
alors qu'on lui faisait remarquer que sa braguette était ouverte

*

"JE ME DEMANDE BIEN DE QUOI TU AURAIS L'AIR

SANS TON DOUBLE MENTON..."

"HEM !"

Lifting: opération esthétique classique par laquelle le chirurgien fait une incision à la naissance des cheveux, tire la peau du visage, fait un pli et coupe le reste. Si l'opération se répète trop, le patient peut se retrouver avec le nombril sur le nez.

Blépharoplastie: opération qui enlève les poches sous les yeux pour leur permettre de mieux s'ouvrir, incrédules, à la vue de la facture qui suivra.

Peeling: méthode à faire dresser les cheveux (pour ne pas dire la peau) sur la tête qui consiste à brûler les rides du visage avec de puissants produits chimiques, ou encore avec une brosse métallique rotative. Pour celles et ceux qui veulent avoir le teint brique.

CHRISTOPHER MATTHEW,
dans *Comment survivre au Moyen Age*

*

Il est idiot de penser que l'on peut claquer la porte au nez de l'âge. Il est beaucoup plus sage d'être polis et courtois et de l'inviter à dîner à l'avance.

NOËL COWARD

*

"OUI, OUI, VOUS ÊTES BIEN CONSERVÉ POUR UN HOMME DE 60 ANS, MAIS VOUS ÊTES ICI POUR FAIRE SOIGNER VOS CORS AU PIED..."

"OH NON ! IL A ENCORE CHANGÉ DE LOOK !"

À partir d'un certain âge et si vous pensez qu'un lifting ou des vêtements à la mode vous donneront vingt ans de moins, n'oubliez pas que rien ne peut tromper une volée d'escalier.

DENIS NORDEN

*

Quand on a mon âge, on va à la plage et la peau prend un joli ton bleu. C'est à force de rentrer le ventre.

ROBERT ORBEN, dans *2.100 Rires pour toutes Occasions*

*

"TU DANSES COMME IL Y A 30 ANS, MAL!"

QUAND UNE "DANSE DE LA MORT" PREND
UN SENS SINISTRE

Un des premiers signes de vieillesse, c'est de prendre des rendez-vous que physiquement vous ne pourrez pas honorer.

GOLDSTEIN-JACKSON,
dans *Blague... après Blague... après Blague...*

*

La vieillesse, c'est quand on passe plus longtemps à récupérer d'un bon moment qu'à le passer.

MACKENZIE,
dans *14.000 Trucs et Astuces pour Écrivains et Orateurs*

*

J'ai atteint l'âge où mon dos sort plus que moi.

PHYLLIS DILLER

*

Je vis sur le fonds de frivolités qui vient au secours des existences longues.

COLETTE (1873-1954)

*

"EN FAIT, J'AI 60 ANS MAIS MES CHEVEUX N'EN ONT QUE DEUX."

LES BONS CÔTÉS DE LA CALVITIE

1. Jamais on ne nous dit qu'on est mal coiffé, et on n'a pas de problème à donner du volume à ses cheveux.

2. On gagne pas mal de temps et d'argent à ne pas aller chez le coiffeur.

3. On peut utiliser sa tête comme réflecteur quand on est perdu en mer.

DAVID BESWICK, dans Les Chauves coiffent tout le monde au poteau

*

"JE VOUDRAIS QUE TU ARRÊTES DE FAIRE ÇA…"

"ILS N'ONT PAS VOULU ME SERVIR, ILS ONT DIT QUE JE N'AVAIS PAS L'AIR ASSEZ VIEILLE. C'EST TOI QUI VAS DEVOIR Y ALLER."

TOUJOURS JEUNE

L'homme pourrait vivre deux fois plus longtemps s'il
ne passait pas la première moitié de sa vie à prendre
des habitudes qui raccourcissent l'autre moitié.

MACKENZIE, dans *14.000 Trucs et Astuces pour Écrivains et Orateurs*

Une dame s'approcha d'un petit vieux assis au
seuil de sa porte :

– Comme vous paraissez heureux, dit-elle. Quel est
votre secret pour être heureux et vivre longtemps ?

– Je fume trois paquets de cigarettes par jour,
dit-il. Je bois une caisse de whisky par semaine,
je mange gras et je ne fais jamais d'exercice.

– C'est surprenant, dit la dame. Quel âge
avez-vous ?

– Vingt-six ans, dit-il.

JOE CLARO

*

Le secret pour rester jeune, c'est de vivre
honnêtement, manger lentement et mentir à propos
de son âge.

LUCILLE BALL

Pièces De Rechange

– Ma chère, comme vous êtes bien coiffée ;
c'est ravissant ; on dirait une perruque !

– … Mais c'est une perruque…

– C'est incroyable ! On ne le dirait vraiment
pas !

MARIE-NOËLLE MOREAU

*

Je connais un gars qui s'est fait des implants
capillaires. C'était assez touchant : quand il s'est
acheté un peigne, il a demandé s'il y avait un mode
d'emploi !

ROBERT ORBEN, dans *Rires en toutes Occasions*

*

Vous atteignez la vieillesse quand vous n'arrivez plus à mettre vos dents que dans un verre.

MACKENZIE, dans *14.000 Trucs et Astuces pour Écrivains et Orateurs*

RÈGLES POUR UNE RETRAITE RÉUSSIE

• Ne suivez pas votre femme quand elle passe l'aspirateur. Non seulement c'est énervant mais aussi très dangereux. Un de mes amis s'est déchiré le tendon d'Achille en trébuchant sur le cordon de l'aspirateur.

• Prenez un comprimé de calcium tous les jours. J'ai ce tuyau d'un ami qui a suivi un cours de préretraite (qui coûtait les yeux de la tête, mais payé par quelqu'un d'autre).

– Qu'y as-tu appris ? lui ai-je demandé à son retour.

– J'y ai appris que toutes les personnes de plus de 60 ans devraient prendre un comprimé de calcium tous les jours.

– Rien d'autre ?

– Non.

Lorsque je pense au prix de ce cours, je suis ravi que les lecteurs de cet article à qui je donne ce conseil en or en auront cette fois pour leur argent.

EDWARD ENFIELD, dans
Nouvelles ruses pour Vieilles Canailles

*

"QUAND J'AI SUGGÉRÉ D'AVOIR UN HOBBY PENDANT
NOTRE RETRAITE, JE PENSAIS AU JARDINAGE…"

... À mon âge, regarder l'avenir, c'est avoir une vision des choses à très court terme.

EDWARD ENFIELD,
dans Le Monde selon les Seniors

Un jeune agent immobilier déployait toute son énergie pour vendre un appartement à un vieux croulant. Après en avoir loué tous les attraits, il termina son baratin en disant :

– Rappelez-vous, M. Dupuis, c'est un investissement pour l'avenir.

– Écoutez, jeune homme, répondit M. Dupuis d'un air las, à mon âge, je n'achète même plus de bananes vertes.

JENNY DE SOUZA

✳

Mon voisin a atteint l'âge où, s'il donne 50 francs à la collecte de l'église, ce n'est pas une contribution, c'est un investissement.

ROBERT ORBEN, dans
2.100 Rires en toutes Occasions

RESPECTEZ LES AÎNÉS

Ce qu'il y a de mieux quand vous êtes un vieux croulant, c'est de faire l'excentrique et de voir les jeunes être polis avec vous et vous considérer avec respect.

NIELA ELIASON

*

Depuis la nuit des temps, les vieux répètent aux jeunes qu'ils sont plus sages qu'eux et, quand les jeunes découvrent que c'est de la foutaise, ils sont devenus vieux et ils en profitent pour continuer l'imposture.

SOMERSET MAUGHAM,
dans *Biscuits et Bière*

*

On m'a toujours appris à respecter mes aînés et, maintenant, je ne dois plus respecter *personne*.

GEORGE BURNS, à 87 ans

*

"IL A PARIÉ SON ARGENT DE POCHE QU'IL POURRAIT FAIRE
PLUS DE POMPES QUE PAPY. ET IL A PERDU."

Je ne me sens pas vieux, simplement complètement usé.

WILL SMITH, à 110 ans

*

La vieillesse arrive rarement doucement et rapidement. C'est plutôt une succession d'à-coups.

JEAN RHYS

*

Vieux ? Se brosser les dents le fatigue.

LEOPOLD FECHTNER

*

On devient vieux quand presque tout fait mal et, ce qui ne fait pas mal, ne marche plus.

MACKENZIE,
dans *14.000 Trucs et Astuces pour Écrivains et Orateurs*

*

Je fume le cigare car, à mon âge, si je n'ai rien à quoi m'accrocher, je pourrais m'écrouler.

GEORGE BURNS

*

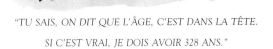

"TU SAIS, ON DIT QUE L'ÂGE, C'EST DANS LA TÊTE.
SI C'EST VRAI, JE DOIS AVOIR 328 ANS."

Monsieur et Madame Robin viennent de prendre leur retraite. Il est très inquiet :

– Nous n'avons pas vraiment assez pour vivre, avoue-t-il à sa femme. Bien sûr, notre pension nous permet de survivre, mais nous n'avons pas suffisamment d'argent de côté pour nous offrir des petits plaisirs comme une soirée au cinéma de temps en temps ou des vacances décentes une fois par an.

– Ne t'en fais pas, répond Mme Robin. J'ai réussi à épargner quelques milliers de francs.

– Comment as-tu donc fait ?

– Eh bien, dit Mme Robin un peu timidement, chaque fois que tu m'as fait l'amour pendant ces trente dernières années, je déposais 50 centimes sur mon compte en banque.

– Mais pourquoi as-tu gardé cela secret pendant toutes ces années ? demande M. Robin. Si j'avais su, je t'aurais donné toutes mes affaires à gérer !

KEVIN GOLDSTEIN-JACKSON, dans
Blagues… après Blagues… après Blagues…

*

Dans l'état présent du monde, devenir un vieillard est presque aussi difficile que devenir un Saint.

GEORGES BERNANOS

*

On n'est pas vieux tant qu'on cherche.

JEAN ROSTAND

*

La longévité est l'une des récompenses les plus douteuses de la vertu.

NGAIO MARSH

*

J'ai une grande nouvelle à t'annoncer : je suis mort.

JEAN COCTEAU

*

Vieillir semble être le seul moyen possible de vivre longtemps.

DANIEL-FRANÇOIS ESPRIT-AUBER

*

La vieillesse vit sous le signe moins : on est de moins en moins intelligent, de moins en moins bête.

PAUL MORAND

*

"QUELLE JOIE ! MON ASSURANCE-MALADIE DIT QUE JE SUIS
DANS LES NORMES POUR DEMANDER UNE TRANSPLANTATION
DE TÊTE DANS TROIS ANS !"

Faites de l'exercice.
Mangez sainement.
Mourez quand même.

AUTEUR INCONNU

<u>Vieillir Dans Le Déshonneur</u>

Le sexe me met dans des situations embarrassantes depuis mes 15 ans. J'espère que d'ici l'âge de 70 ans, les choses se seront arrangées.

HAROLD ROBBINS

"TU AS 60 ANS. ET ALORS ?
UN ANNIVERSAIRE, C'EST UN ANNIVERSAIRE !"

La vieillesse n'empêche pas les hommes de courir après les femmes. Mais ils ne se souviennent plus pourquoi.

JENNY DE SOUZA

La seule chose que je regrette de mon passé, c'est qu'il ait été si long. Si c'était à refaire, je referais les mêmes erreurs, mais plus tôt.

TALLULAH BANKHEAD,
dans le Times du 28 juillet 1981

Il ne faudrait jamais faire son entrée dans le monde par un scandale. Il faudrait réserver ce genre de choses à ses vieux jours, pour leur donner du piment.

OSCAR WILDE

*

C'est pas la grande forme…

Un couple dans la soixantaine qui s'est offert une seconde lune de miel se souvient du bon vieux temps de sa jeunesse. Pleine de nostalgie, la femme dit :

– Tu te souviens, tu t'amusais à mordiller le lobe de mes oreilles ?

– Oui, répond le mari.

– Eh bien, pourquoi donc ne le fais-tu plus ?

– Parce qu'au moment où je commence, le désir est parti !

JENNY DE SOUZA

*

En fait, soixante ans n'est pas un si mauvais âge. C'est vrai que ma vue devient un peu faible, et que mes dents tombent les unes après les autres. Mais avez-vu le prix des fausses dents ? Non merci ! D'ailleurs on peut préparer de très bons plats avec de la semoule… Ma capacité de concentration ? Trois minutes ou moins. Et puis, une très bonne chose : j'ai la santé…

MIKE KNOWLES

"NE VOUS INQUIÉTEZ PAS... CELA ARRIVE SOUVENT

LORS DE LA SECONDE LUNE DE MIEL..."

"60 ANS ? INCROYABLE ! C'EST EXTRAORDINAIRE,
JE VOUS EN DONNAIS AU MOINS 70. NOUS ÉTIONS DANS
LA MÊME ÉCOLE, VOUS VOUS SOUVENEZ ?"

QUELQUES AVANTAGES À AVOIR PLUS DE 60 ANS...

On ne broie pas que du noir. Avec les rides, la perte de cheveux et les genoux qui grincent, le soixantième anniversaire apporte quelques avantages indéniables :

1. On peut user de la ruse et faire semblant de n'entendre que ce qu'on a envie d'entendre.

2. On peut avoir le culot de dire à ses petits enfants de ne pas faire ce qu'on a fait.

3. Le double menton peut servir de support à livres.

JON NEWBOLD

*

Avoir soixante ans apporte certains avantages. Par exemple, à partir de ce moment, votre gâteau d'anniversaire deviendra de plus en plus gros pour pouvoir mettre toutes les bougies.

MIKE KNOWLES

*

Une des bonnes choses de la vieillesse est que l'on peut siffler en se brossant les dents.

MACKENZIE, dans *14.000 Trucs et Astuces pour Écrivains et Orateurs*

C'est marrant…
      On n'est jamais
trop vieux
      pour apprendre de
nouvelles façons
      de faire l'idiot.

MACKENZIE, dans *14.000 Trucs et Astuces
pour Écrivains et Orateurs*

"IL N'AURAIT JAMAIS FAIT ÇA À TON ÂGE,

FISTON…"

"RÉPÉTEZ APRÈS MOI... J'AI SOIXANTE ANS, MAIS JE NE SUIS PAS UN VIEUX CROULANT..."

TROP JEUNE POUR ÊTRE VIEUX

Prendre sa retraite à soixante-cinq ans, c'est ridicule. J'avais encore des boutons à soixante-cinq ans!

GEORGE BURNS

∗

Vieillir, c'est un peu comme une mauvaise habitude qu'un homme occupé n'a pas le temps de contracter.

ANDRÉ MAUROIS

Le jour où je céderai et où je permettrai au mot double foyer d'entrer dans mon vocabulaire sera le jour où j'arrêterai de teindre mes racines, de faire mettre des couronnes sur mes dents et de cantilever mes seins. Il faudra beaucoup de courage, mais heureusement, je serai trop morte pour le voir.

MAUREEN LIPMAN, dans *Lisez-moi à Livre ouvert*

*

"TU VOIS MAMY, C'EST AINSI QU'UNE GRAND-MÈRE DOIT ÊTRE."